我的小九九

【美】玛莎·F.布兰娜◎著
【美】丽萨·伍德拉夫◎绘
范晓星◎译

天津出版传媒集团
新蕾出版社

图书在版编目 (CIP) 数据

我的小九九/(美)布兰娜(Brenner,M.F.)著;
(美)伍德拉夫(Woodruff,L.)绘;范晓星译.—天津:
新蕾出版社,2015.1(2024.12 重印)
(数学帮帮忙·互动版)
书名原文:Stacks of Trouble
ISBN 978-7-5307-6195-3

Ⅰ.①我… Ⅱ.①布…②伍…③范… Ⅲ.①数学-
儿童读物 Ⅳ.①01-49

中国版本图书馆 CIP 数据核字(2014)第 272521 号

Stacks of Trouble by Martha F. Brenner;
Illustrated by Liza Woodruff.
Copyright © 2000 by Kane Press, Inc.
All rights reserved, including the right of reproduction in whole or in part in any form. This edition published by arrangement with Kane Press, Inc. New York, NY, represented by Lerner Publishing Group through The ChoiceMaker Korea Co. agency.
Simplified Chinese translation copyright © 2013 by New Buds Publishing House (Tianjin) Limited Company
ALL RIGHTS RESERVED
本书中文简体版专有出版权经由中华版权代理中心授予新蕾出版社(天津)有限公司。未经许可,不得以任何方式复制或抄袭本书的任何部分。
津图登字:02-2012-230

出版发行: 天津出版传媒集团
新蕾出版社
http://www.newbuds.com.cn
地　　址: 天津市和平区西康路 35 号(300051)
出 版 人: 马玉秀
电　　话: 总编办(022)23332422
发行部(022)23332679　23332351
传　　真: (022)23332422
经　　销: 全国新华书店
印　　刷: 天津新华印务有限公司
开　　本: 787mm×1092mm　1/16
印　　张: 3
版　　次: 2015 年 1 月第 1 版　2024 年 12 月第 27 次印刷
定　　价: 12.00 元

著作权所有,请勿擅用本书制作各类出版物,违者必究。
如发现印、装质量问题,影响阅读,请与本社发行部联系调换。
地址:天津市和平区西康路 35 号
电话:(022)23332351　邮编:300051

无处不在的数学

资深编辑　卢　江

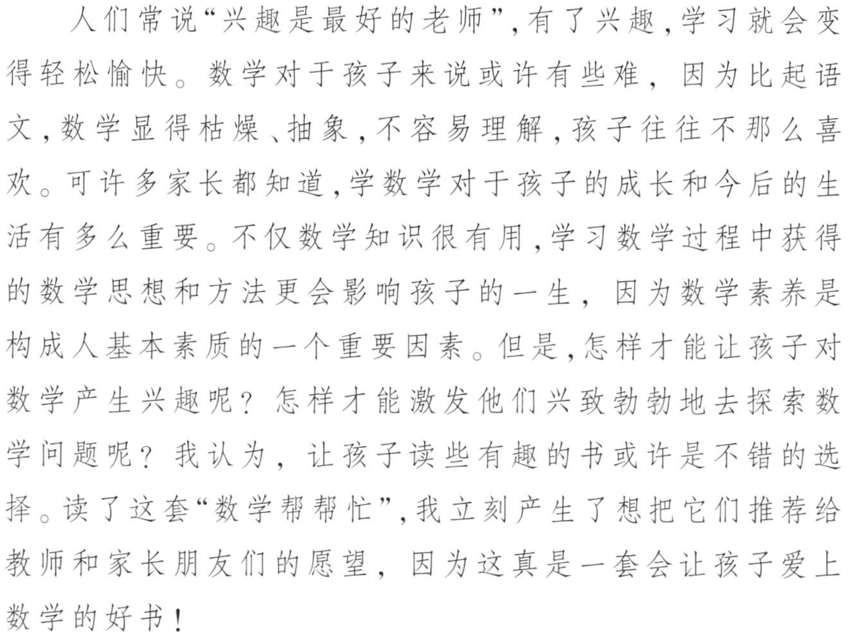

人们常说“兴趣是最好的老师”，有了兴趣，学习就会变得轻松愉快。数学对于孩子来说或许有些难，因为比起语文，数学显得枯燥、抽象，不容易理解，孩子往往不那么喜欢。可许多家长都知道，学数学对于孩子的成长和今后的生活有多么重要。不仅数学知识很有用，学习数学过程中获得的数学思想和方法更会影响孩子的一生，因为数学素养是构成人基本素质的一个重要因素。但是，怎样才能让孩子对数学产生兴趣呢？怎样才能激发他们兴致勃勃地去探索数学问题呢？我认为，让孩子读些有趣的书或许是不错的选择。读了这套“数学帮帮忙”，我立刻产生了想把它们推荐给教师和家长朋友们的愿望，因为这真是一套会让孩子爱上数学的好书！

这套有趣的图书从美国引进，原出版者是美国资深教育专家。每本书讲述一个孩子们生活中的故事，由故事中出现的问题自然地引入一个数学知识，然后通过运用数学知识解决问题。比如，从帮助外婆整理散落的纽扣引出分类，从为小狗记录藏骨头的地点引出空间方位等等。故事素材全部来源于孩子们的真实生活，不是童话，不是幻想，而是鲜活的生活实例。正是这些发生在孩子身边的故事，让孩子们懂得，数学无处不在并且非常有用；这些鲜活的实例也使得抽象的概念更易于理解，更容易激发孩子学习数学的兴趣，让他们逐渐爱上数学。这样的教育思想和方法与我国近年来提倡的数学教育理念是十分吻合的！

这是一套适合 5~8 岁孩子阅读的书，书中的有趣情节和生动的插画可以将抽象的数学问题直观化、形象化，为孩子的思维活动提供具体形象的支持。如果亲子共读的话，家长可以带领孩子推测情节的发展，探讨解决难题的办法，让孩子在愉悦的氛围中学到知识和方法。

值得教师和家长朋友们注意的是，在每本书的后面，出版者还加入了“互动课堂”及“互动练习”，一方面通过一些精心设计的活动让孩子巩固新学到的数学知识，进一步体会知识的含义和实际应用；另一方面帮助家长指导孩子阅读，体会故事中数学之外的道理，逐步提升孩子的阅读理解能力。

我相信孩子读过这套书后一定会明白，原来，数学不是烦恼，不是包袱，数学真能帮大忙！

妈妈希望我们的家总是干净整洁。我真是搞不懂！她去苏阿姨家帮忙照看刚出生的小宝宝，我们还以为这下可以松口气了，可是根本没可能……

妈妈给我们留了一张特别特别长的家务清单！

我选了一项简单的家务——洗碗。只要把碗放进洗碗机，一按按钮，哗啦哗啦！洗碗机全给搞定了！

我还决定喂仔仔，这根本不算家务。我最不喜欢做家务了。

可事情却出乎我的意料。吃过早餐，我去开洗碗机，这时我才看见洗碗机上贴了一张纸条。噢，不！我得动手洗碗了。这要洗到什么时候呀！

再说，我还有重要的事要做呢！仔仔和我要练习飞盘，再过一天就比赛了！

“别着急！”我安慰自己说。脏碗不算太多，用不着马上洗。

家里还有很多干净的碗和盘子，足够用到洗碗机修好的时候。修理工叔叔明天就来了。

接下来的午餐，哥哥约翰做了金枪鱼三明治。“我们吃三明治用不着盘子！”我说，“咱们用餐巾纸垫着吃吧！”

“我可不想用餐巾纸垫着吃！”姐姐莉萨说着，皱了皱鼻子。

嗯，好吧。我们没用很多盘子，实际上洗起来也不会花很长时间……

可这时，我的好朋友塞尔来敲我家后门。野狼队那些小子竟敢向我们挑战触身式橄榄球。“要是没有你，我们可就输定了！”塞尔说。

我决定，脏盘子回来再洗吧。

我们没有野狼队那些人个头儿高，也没他们跑得快！可他们总是那几种战术，哼！我想出了防守策略，我的传球像子弹一样快！我们赢了！

我们在我家庆祝胜利，吃爆米花和薯片，不用洗碗啦！后来，有人倒了杯果汁，于是每个人都倒了一杯，除了我。

莉萨和她的朋友们互相化妆。她们来了想吃冰激凌，于是每人一碗冰激凌，除了我。这就是向一个橄榄球球星致谢的方式吗？给他留一堆脏盘脏碗？

爸爸不会喜欢乱成这样，恐怕他会逼着我洗碗。于是，我稍稍清理了一下。我把碗摞起来，然后藏到地下室里。

洗碗这件事我再也不能拖拖拉拉了。但我可以请大家不要再动用干净的盘子了。我在厨房门上用胶带贴了一份通知。

莉萨请了一些朋友来我家过夜。这些女孩子，嗯，对不起，是超级名模，以全新造型出席晚餐会。

我根本没注意看她们，光忙着盯盘子了！一共 18 个餐具，还不算盛菜的大碗！

吃饭的人越多，脏盘脏碗也就越多。越来越多！厨房里开始有臭味儿了！

看来，还得再往地下室跑一趟。

我往地下室跑了好几趟，精疲力竭。我最需要的是好好儿睡一宿觉！不洗碗，活儿也是一大堆。

我睡过头了！要是不快点的话，我们就要错过飞盘比赛了！其他人都吃过早餐了。我拿起最后一个干净的碗。

厨房里有一股脏袜子和臭鸡蛋的味道！“修理工叔叔最好快点来。”我自言自语。

我高高地抛出飞盘，仔仔四爪腾空，一口叼住。裁判们给它加了好多分！多棒的仔仔！多出色的投手！我们得了第二名。

等我们回到家，该布置饭桌吃午餐了。我看看碗橱，一个干净的盘子也没有，只剩两个玻璃杯了。我又看看装刀叉的抽屉，也用光了！

可饭前洗碗也太可笑了。我敢说能找到别的什么东西可以用。盘子是干什么用的？不就是放食物的嘛！

我找到了一些和普通盘子差不多的东西。效果更好，有趣多了。

“迈克！你满脑子光想吃了吧！”约翰说。

“你想什么呢？”莉萨也咯咯笑了。

他们根本就不懂。我想知道爸爸会怎么看。很快，我就知道答案了……

我有麻烦了。猜猜爸爸在地下室发现了什么？啊！爸爸说我做得太过分了。全家人都期待我能做好自己那份家务呢！

我连忙把脏盘脏碗搬回厨房。我之前都在想什么呀？

我打赌，世界上没有人洗过这么多的碗啦！我创造了一项世界纪录吧？

我深深地吸了一口气，开始干起来。洗洗洗，擦擦擦，冲冲冲！没多久，我已经洗好一半了。我的心情也好多了。可还有很多要洗呢。

就在我洗最后几样餐具的时候，猜猜谁进来了？修理工叔叔！他见到我忙成这样也直摇头。

他说："堆脏盘脏碗就像做乘法，增加得可快呢！"

说得太对了！

乘法

练习乘法的几种方法：

1.演示法

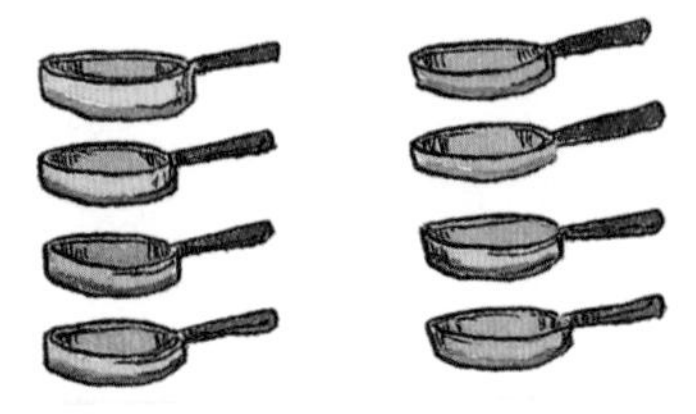

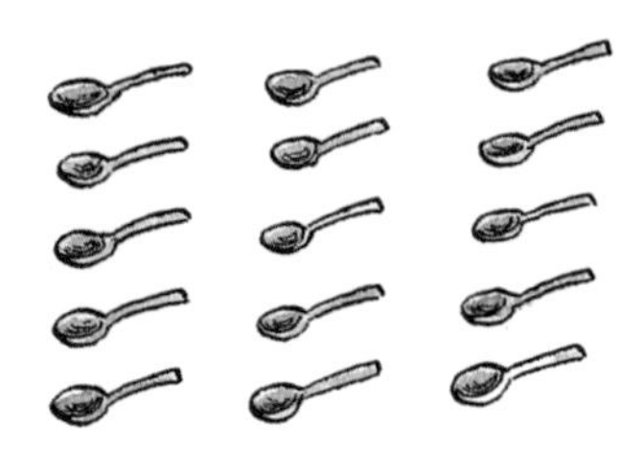

2 组，每组 4 个锅

$2\times4=8$ 个锅

3 组，每组 5 只勺

$3\times5=15$ 只勺

2.先想加法

2,4,6,8,10,12
6 乘 2 是 12。

6×2，意思是 6 个 2 或者 2 个 6。

所以，$6\times2=2+2+2+2+2+2$，

或者，$6\times2=6+6$。

3.找规律

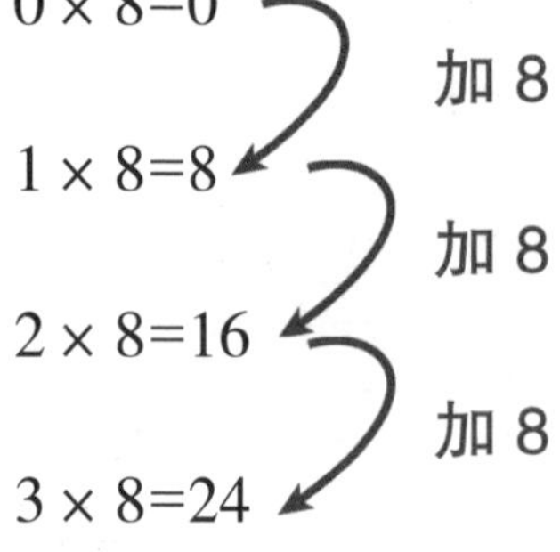

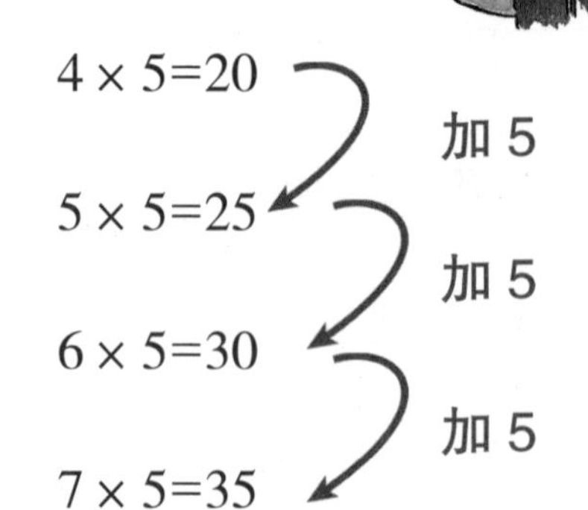

4.乘法法则

$9\times3=?$

我知道 $3\times9=27$，
所以，$9\times3=27$。

亲爱的家长朋友，请您和孩子一起完成下面这些内容，会有更大的收获哟！

提高阅读能力

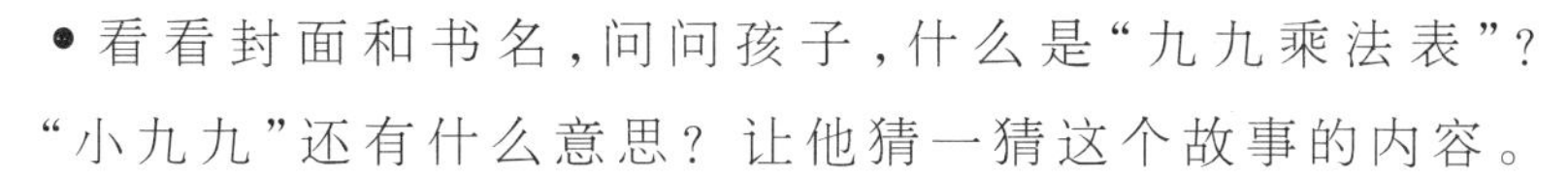

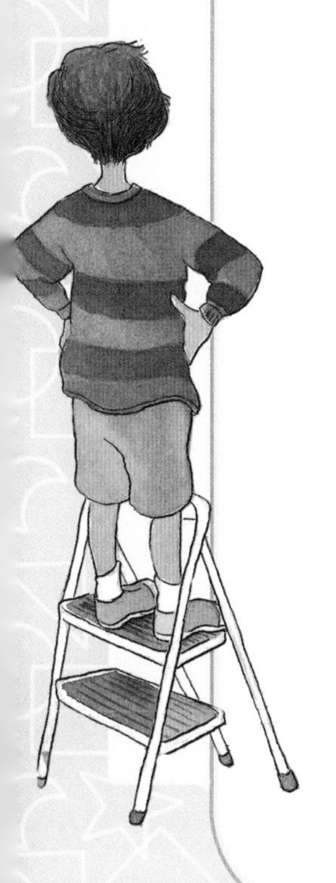

- 看看封面和书名，问问孩子，什么是“九九乘法表”？“小九九”还有什么意思？让他猜一猜这个故事的内容。
- 和孩子聊一聊，他会做什么家务？家里其他人的家务是什么？哪些家务简单，哪些比较难？哪些家用电器，例如洗碗机，可以帮我们减轻很多家务负担？
- 一边读，一边考考孩子的理解程度。比如，第12页，为什么迈克自己不喝饮料呢？请孩子再想想看，故事里还有哪些地方描写了迈克节省碗碟呢？
- 阅读第23页的内容，请孩子猜想迈克接下来会怎么做。然后请孩子看第25页上的内容，看看与他猜想的是否一致。
- 与其拖到最后一刻才洗碗，迈克还有什么办法做好自己的家务？请孩子聊一聊，哪些办法可以帮助他节省时间，或是让他在做家务的过程中保持快乐的心情？
- 读完第31页，请孩子讲一讲，迈克通过这件事学到了什么？

巩固数学概念

• 在阅读故事的同时，和孩子一起数数插图中的物品，看看迈克计算的乘法是否正确。

• 读完第 29 页，帮孩子算一算，迈克还有多少碗要洗？

• 用第 32 页的图表，帮助孩子复习乘法法则。请孩子通过联想故事的内容来加深理解。

生活中的数学

• 请孩子用加法和乘法来算一算全家人一顿晚餐要用多少碗碟和筷子？可以参考第 32 页上的方法，比如几个几个地数，重复相加，找规律等。

• 请孩子用乘法来算算他一天、一周、一个月，甚至一年，要穿几只或者几双袜子？

• 请和孩子一起设想，在生活中什么场合需要用到乘法？比如，算一算放学后请小朋友一起吃饼干，需要几块呢？

• 如果孩子午餐带三明治的话，请他自己想一想，一周、一个月，或者一年，他要吃掉几片面包？

请你读一读妈妈的家务清单，除了我和爸爸的任务，还有几项家务？

约翰作为哥哥，主动承担了其中的两项家务，我们来看看他完成得怎么样吧！

互动练习2
除了擦地，我还负责“吸地毯”，这可是一项大工程！
请你帮我算一算：
每个房间都有2块地毯，那么8个房间，就是(　)个2块。
别忘了我也有一块小毯子。
噢，真是太多了，你知道一共有多少块地毯要吸吗？

互动练习3

我除了洗碗，还有一项重要家务，就是喂仔仔。仔仔和我们一样，每天早、中、晚都要吃饭。妈妈不在的这一周，我们一共要喂仔仔多少次呢？

亲爱的小朋友，你知道我一周一共要吃几次饭吗？你是怎么想的？快把你的想法说给妈妈听吧！

互动练习4

妈妈不在，总是莉萨为我们洗衣服，因为她总是嫌我们洗得不干净。当然，我们不得不承认，她确实洗得很仔细！莉萨太爱干净了，每天都要求我们换洗衣物。可是这样一来，她每天就要洗很多衣服，你说是吗？

男士

女士

互动练习 5

一周终于熬过去了，我们把妈妈盼回来了！看到家里一切井井有条，妈妈特别开心！

爸爸为此给我们做了精致的晚餐！

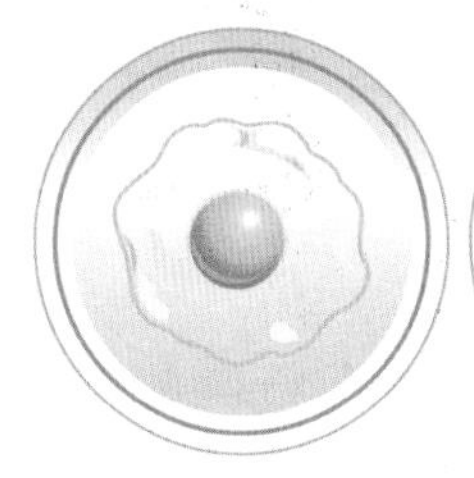

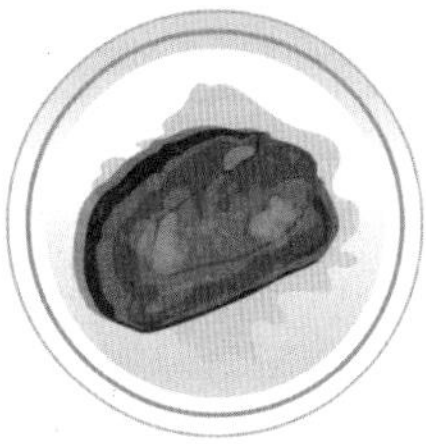

全家每人一份，我一共要煎多少个鸡蛋？一共要煎多少块牛排？一共要煎多少根香肠？每人 5 片蔬菜，全家一共需要多少片蔬菜？

哈哈，迈克这次又要刷不少盘子喽！

互动练习6

我有三个鞋盒，每个盒子里有一双鞋，你知道我有多少只鞋吗？

小朋友，你知道我们家有几口人吗？我们每人有 3 双鞋，你知道一共有多少只鞋吗？我家的鞋柜只能放下 16 只鞋，它能装下我们全家人的鞋吗？

互动练习

亲爱的小伙伴，这一周做家务，让我知道了妈妈平时真是非常辛苦！我们已经长大了，以后一定要做妈妈的小帮手哟！

如果我每天帮妈妈洗 4 只臭袜子，那一个星期我能洗多少只？如果洗一个月呢？一年呢？

我还能做些什么呢？你又能做些什么呢？

互动练习 1 三项家务

$4\times2=8$（个）

互动练习 2 8

$8\times2+1=17$（块）

互动练习 3 $3\times7=21$（次）

互动练习 4 爸爸、哥哥、姐姐、迈克

$3\times3+1=10$（件）

互动练习 5 鸡蛋 $1\times5=5$（个）

牛排 $1\times5=5$（块）

香肠 $3\times5=15$（根）

蔬菜 $5\times5=25$（片）

互动练习 6 $3\times2=6$（只）

爸爸、妈妈、哥哥、姐姐、迈克，5 口人。

$3\times5\times2=30$（只）

$30>16$ 装不下

互动练习 7 一个星期：$4\times7=28$（只）

一个月（按 30 天计算）：$4\times30=120$（只）

一年（按 365 天计算）：$4\times365=1460$（只）

（习题设计：骆　双）

STACKS OF TROUBLE

My mother likes our house clean at all times. Don't ask me why. We hoped we'd get a break when she went to help Aunt Sue with the new baby. No chance.

She left a long list of jobs.

I picked an easy job—washing the dishes. You just load the dishwasher, push a button, and swish! The machine does it all.

I decided to feed Wolfie, too—that's not work. There's nothing I hate more than work.

Was I in for a surprise. After breakfast I went to open the dishwasher. That's when I saw the note. Oh, no! I'd have to wash dishes by hand. It would take forever!

Besides, I had important things to do. Wolfie and I had to practice. The Frisbee contest was only one day away!

"Calm down," I told myself. There weren't many dirty dishes. I didn't need to wash them yet.

We had lots of clean dishes, enough to last until the dishwasher was fixed. The repairman was coming the next day.

Then at lunch time my brother John made messy tuna sandwiches. "We don't need plates for sandwiches!" I said. "Let's use paper towels."

"I don't want to eat off a towel," my sister Lisa said. She wrinkled her nose.

Oh, well. We didn't use a lot of dishes. In fact, it wouldn't take long to wash them...

Just then my friend Sal knocked on the back door. The Crunch brothers had dared us in touch football. "We won't have a chance unless you play," said Sal.

I decided the dirty dishes could wait.

We weren't as tall as the Crunchs or as fast. But they always ran the same plays. Duh! So I figured out how to block them. My passes flew like bullets. We won!

We celebrated at my house. Popcorn and potato chips. No dishes needed! Then someone had a glass of juice. So everyone had juice—except me.

Lisa and her friends were giving each other makeovers. They came in for ice cream. So everyone had ice cream—except me. Was this any way to thank a football hero? With dirty dishes?

Dad wasn't going to like the mess. I was afraid he'd make me start washing. So I cleaned up—a little. I stacked the dishes. Then I hid a few in the basement.

I couldn't put this job off much longer. But I could stop people from dirtying EXTRA dishes. I taped up a warning on the kitchen door.

Lisa invited her friends to stay overnight. The girls—excuse me, the supermodels—showed off their new looks at dinner.

I didn't pay much attention. I was too busy looking at the dishes. There were eighteen, not counting the serving bowls!

More people meant more dirty dishes. Lots more. The kitchen was starting to smell funny.

Time for another trip to the basement.

I dragged myself up and down those basement stairs. What I needed was a good night's sleep. It was a lot of work not doing the dishes.

I overslept! If I didn't hurry, we'd miss the Frisbee contest. Everybody else had already had breakfast. I took the last clean bowl.

The kitchen smelled like dirty socks and rotten eggs. "That repairman better hurry," I told myself.

I aimed the Frisbee high. Wolfie caught it with all paws off the ground. The judges gave it extra points. What a dog! What a thrower! We won second prize.

When we got home, it was almost time to set the table for lunch. I looked in the cupboards. No clean plates. Only two glasses. I looked in the silverware drawer. Empty.

But it was stupid to wash dishes BEFORE lunch. I bet I could find something else to use. What's a dish, anyway? Just a food holder!

I found some things that were just as good as regular dishes. Better really. Much more interesting.

"Mike! You dish brain," John said.

"What were you thinking?" Lisa giggled.

They just didn't get it. I started to wonder how Dad would take it. I soon found out.

Boy, was I in trouble. Guess what Dad found in the basement? Aargh! Dad said I'd gone too far. My family was counting on me to do my job.

I carried the dishes up fast. What had I been thinking?

I bet there were more dirty dishes here than anyone anywhere had ever washed. Could I set a record?

I took a deep breath and plunged in. I soaked. I scrubbed. I rinsed. Soon the clean dishes equaled the dirty ones. I began to feel better. But there was more work to do.

Just as I was washing the last few dishes, who should walk in? The repairman! He shook his head when he saw what I was doing.

"Dirty dishes sure can multiply," he said.

No kidding!